愛智繪本館　騎著恐龍去上學

文／劉思源　　圖／林小杯　　發行人／楊博名　　出版／愛智圖書有限公司　　電話／（07）812-1571

地址／⑧⓪⑥⑥④高雄市前鎮區千富街235號　　愛智圖書網站 www.aichibooks.com.tw

愛智網路書店 www.aichi.com.tw　　E-mail／aichibk@ms57.hinet.net　　劃撥帳戶／愛智圖書有限公司

劃撥帳號／0400688-8　　定價／新台幣250元　　ISBN 978-957-608-349-5　　初版2刷　日期／2010年5月

登記證／行政院新聞局局版台業字第2254號

騎著恐龍去上學

文　劉思源
圖　林小杯

愛智圖書

史派修學校
是小朋友最喜歡的學校。
每個孩子都早早起床。
刷牙、洗臉、穿衣服去上學，
沒有人會賴床或裝病。

因為它有一輛
很特別的校車 —— 小雷龍。
每天一早，
小雷龍就穿梭在城市中，
接小朋友們上學。

住在公寓的小朋友最興奮，
他們不用走樓梯，
只要從窗口跳到小雷龍的長脖子上，
就可以像溜滑梯似的溜到座位上。

騎著恐龍去上學真的很神氣。
街上的行人和車子
都會自動讓路給小雷龍，
免得不小心被牠的大腳踩到。
最棒的是，恐龍不需要加油，
可以省下許多汽油錢，
也不會冒黑煙和臭氣。

有些馬路還有恐龍專用道，
沿途設有「飼料站」補充恐龍的食物，
還有「馬路維修隊」隨時修補被恐龍們
不小心踏壞的馬路。

小雷龍還是大家的好幫手。
史派修學校的老師和小朋友都好愛好愛牠。

不過，牠偶爾會造成
一點小麻煩。

小雷龍實在太高了，
容易撞倒路燈、電線桿、天橋，
連紅綠燈也遭殃……

小雷龍實在太大了，
巨大的身軀有一座網球場那麼大，
只要堵住路口就會造成大塞車。
小雷龍實在太重了，
體重等於四、五隻大象加起來那麼重，
已經壓壞了好幾座大大小小的橋梁。

牠的長尾巴也很愛找麻煩，
轉彎時，　一不小心就推倒左右兩旁的房子。
小麻煩越積越多，　就變成大麻煩。
史派修學校不停的
收到警察局寄來的照片和罰單，
以及雪片般飛來的帳單……

學校只好暫時
不讓小雷龍上路。
小雷龍好難過，
躲到體育館，偷偷的哭起來，
眼淚一顆一顆掉下來……

一群又一群的小朋友
跑進體育館。
他們爬到小雷龍身上，
抱著牠，安慰牠，
「小雷龍，我們會常常來陪你。」
「我會請媽媽做最新鮮的
青草餅乾給你吃。」

小雷龍好感動。
這時，
個子最小的米米沒抓牢，
從小雷龍的脖子上滑了下來——

撲通（ㄆㄨ ㄊㄨㄥ）！

咦（ㄧ）！ 這（ㄓㄜ）裡（ㄌㄧ）怎（ㄗㄣ）麼（ㄇㄜ）會（ㄏㄨㄟ）有（ㄧㄡ）游（ㄧㄡ）泳（ㄩㄥ）池（ㄔ）呢（ㄋㄜ）？

啊——是小雷龍的眼淚積成的。

小朋友一個一個爬到小雷龍的頭頂上，

再順著脖子滑下來，衝進游泳池裡。

「YA！好棒的滑水道！」

「小雷龍又可以陪我們玩了！」

大家開心的說。

小雷龍有了一個新工作——

孩子們的健身遊戲場，
可以游泳、溜滑梯、跳繩、吊單槓……
想要玩，還要排長長的隊伍喔！

誰接近天空的夢想

兒童圖畫書研究工作者／陳璐茜

　　在許多科學領域裡，想要突破現狀獲得進一步的成果，大膽假設是必要的想像，小心求證是必然的手段，孩子們嘴裡經常掛著的假設語：「如果有一天……」，就是對未來構思最大膽的藍圖，他們把那些想像的畫面說出來或畫下來，直到有一天，也許將夢想付諸實踐，也許將夢想拍成電影，也許將夢想畫成一本圖畫書。

　　《騎著恐龍去上學》一書畫出了孩子的夢想，實現了上學也可以很有趣的事實，只是當夢想遇到了外在現實，難免有所衝突產生問題，本書作者告訴我們夢想的實踐方式，還包括解決問題的方法。

　　我們常常鼓勵孩子勇敢做夢，卻忘了引導他們如何在現實的阻礙下實踐夢想，所以往往孩子只想到美好的結果，彷彿魔術師憑空伸手就能變出來一般，而忽略了在實踐過程需要付出的努力與妥協。其實每個夢想從假設到實驗到成形，也許需要花一輩子的時間才能做到，就像魔術師在幕後的辛苦練習。

　　如果我們將想像力實現出來，給與現實的舞臺，那麼我們就是擁有魔法的人生魔術師。究竟夢想和現實的距離有多遠呢？讀完這本書也許你會知道。

　　史派修學校的小朋友都很喜歡上學，因為他們有一隻小雷龍校車，大家在上學途中，就開始了一天的冒險，這是夢想的開端，如果孩子可以參與規劃設計學校生活，在一連串的假設中學習如何達成目標，是一種建立孩子獨立思考學習實踐的好方法。

　　都市的窗口裡出現了好多小朋友，有的剛起床，有的在刷牙，有的在洗臉，他們都是笑著的，因為他們要騎恐龍去上學，這是夢想的不尋常性。但是有的小朋友不開心，他們在路邊哭或鬧彆扭，因為他們要像一般人搭爸媽的車去上學。這是夢想的吸引力，也是重要的啟發力。

還沒到學校，小朋友們已經玩起遊戲了，因為小雷龍就是一個巨大的溜滑梯。夢想正在長大而且好玩，這是夢想的新奇性，新鮮的事物總是引人興趣，也能激發主動積極的參與本能。

小雷龍的出現對交通造成了一些不便，牠的表情有點尷尬。可見夢想容易受傷，因為其獨特性使其凌駕現實之上卻不容於現實。

小雷龍落寞的走遠了，卻留下了道路坑洞，不知道是不是道路本來就不夠堅固，還是小雷龍的腳步太沉重。夢想拖著現實的沉重壓力，這是夢想的難行性。

小雷龍除了接送小朋友上學，還會做一些社會服務，比如說幫消防隊員救出大樹上的小鳥，或是取下纏在樹上的風箏等等。這是夢想的延伸性，如果一味的只想追求美好的夢想，而忽略和現實的依存關係，那麼夢想也很難成形。

然而小朋友夢想中的好朋友，畢竟還是和現實環境格格不入，小雷龍的長脖子造成了城市的損害，也促成了人群的恐慌。也許有夢想是好的，但是仍不該造成別人的困擾，這是夢想的不相容性，必須考量更多、更廣，讓夢想發揮其普遍性。

比起小雷龍帶給小朋友們的無形喜悅，牠對城市帶來的有形的傷害似乎更大，因為牠影響了更多人的日常生活。在夢想和現實面對面衝突時，往往夢想被逼到世界的角落，終於被人遺忘，這是夢想的易忘性。

小雷龍看到自己肇事的照片，也是一臉驚恐，沒有想到牠只是像平常那樣走路，就違法了，錯的也許是都市的道路太窄，建築物蓋得太脆弱，也許是小雷龍不該出現在都市，應該到更寬闊的草原上。當夢想離現實愈來愈遠時，大部分的人選擇放棄夢想，無奈的回到現實，這個時候應該思考的是夢想和現實間的交集，這是夢想的可塑性。

小雷龍知道自己無心的闖了禍，傷心的哭了，但是牠最傷心的應該是不能和小朋友們一起玩，後來小雷龍的眼淚哭成了一座游泳池，又可以和小朋友們同樂了，小雷龍就

是一座遊樂園，不必上街就可以讓小朋友們開心。當夢想受挫的時候，繼續發揮想像力便能使夢想轉個彎，以不同的形式繼續伸展，這是夢想的變通性。

再見到小雷龍，小朋友們還是笑嘻嘻的，雖然小雷龍暫時不能接送他們，但是他們是永遠的好朋友，這是夢想超越時空限制的永恆性。

如果上學像玩遊戲一樣有趣，相信每個小朋友都期待早晨上課時間的來臨；如果學校像一個大家庭，讓小朋友們自然的互動出豐富的共同經驗，相信小朋友也會把在學校的愉快事物和家人分享；如果每個家庭成員都是歡笑著的，當他們走上大街，也能將樂觀的態度感染給他人；如果對凡事多一點幽默感、包容，不強調絕對的好壞、對錯，那麼生命自然會發揮其想像力，讓不開心或沒有預期的變化，順利的轉彎成為新的方向，於是個人、家庭、學校、社會，都將找到平衡發展的方法，營造和諧的生活氣氛。

如果每個人都喜歡說：「如果有一天……」說完後又努力的朝心願和夢想努力，相信會有更多敢於做夢、樂觀實現的人，那麼快樂的夢想就不遠了。

《騎著恐龍上學去》是一本幽默可愛、充滿想像力的圖畫書，小朋友們很開心的坐著小雷龍上學，除了他們喜歡小雷龍之外，還因為在巨大的小雷龍身上，他們可以用不同於平常的角度看世界，這滿足了他們對寬闊天空的嚮往和居高臨下的感覺，好比孩子喜歡坐在爸爸的肩膀上一樣，他想像著爸爸可以看到的世界，也代表著除了可以盡情的發揮想像力，而且還擁有實現夢想的能力，這應該是孩子最大的夢想。

本書畫者以手繪活潑的黑線條，描繪出細膩生動的故事情節，鉛筆質感突顯塗鴉風格的輕鬆趣味，再以電腦技法近似版畫套色的效果，表達簡單的配色，增添純樸的氣息，畫中特別強調都市中出現恐龍所產生的衝突性，無形中也以反諷的角度，說明了這個都市和想像力的遙遠距離，距離有多大呢？就像小雷龍一樣大。